ZUM GEDENKEN

RHEINISCH-WESTFÄLISCHE AKADEMIE DER WISSENSCHAFTEN

Gedenkfeier zu Ehren des
verstorbenen Geschäftsführenden Präsidialmitgliedes
Staatssekretär
Professor Dr. med. h. c. Dr.-Ing. E. h. Dipl.-Ing.
Leo Brandt

am 7. Juli 1971

Staatssekretär Professor Dr. med. h. c. Dr.-Ing. E. h. Dipl.-Ing.
Leo Brandt
† 26. April 1971

Heinz Kühn
Karl Ziegler · Walter Weizel
Volker Aschoff · Rudolf Schulten
Hans Erich Stier

Zum Gedenken an Leo Brandt

Westdeutscher Verlag Opladen

Herausgegeben von der
Rheinisch-Westfälischen Akademie der Wissenschaften
ISBN 3-531-09000-3
© 1972 by Westdeutscher Verlag Opladen
Printed in Germany

Inhalt

Ministerpräsident Heinz Kühn

Wir haben heute eines Mannes zu gedenken, der seine Spuren tief in die Geschichte dieser Akademie der Wissenschaften und der Arbeitsgemeinschaft für Forschung eingegraben hat.

Am 26. April 1971 starb Staatssekretär Professor Dr. Leo Brandt.

Die Landesregierung verlor ihren Leiter des Landesamtes für Forschung. Die Akademie der Wissenschaften ihr Geschäftsführendes Präsidialmitglied. Viele Vereinigungen zur Förderung der Wissenschaft ihren Vorsitzenden. Manche von uns einen persönlichen Freund.

Die nüchternen Lebensdaten dieses Mannes, der am 17. November 1908 in Bernburg in Sachsen-Anhalt geboren wurde, in Aachen und Berlin studierte, bei der Firma Telefunken in Berlin seine ersten beruflichen Erfolge feierte, genügen nicht, um sein Porträt noch einmal plastisch vor uns erstehen zu lassen. In uns bleibt ein Mann lebendig, ohne den Wissenschaft und Forschung in diesem Land nicht das wären, was sie heute sind.

Diese Formel, die so oft gebraucht wird, erhält bei Leo Brandt ihren Glanz zurück. Denn ihm ist die Genugtuung zuteil geworden, etwas gestaltet zu haben, das sichtbar bleibt. Und das Radioteleskop in Effelsberg, das nur Tage nach seinem Tode eingeweiht wurde, ist nicht das einzige Zeugnis dafür.

Wir erinnern uns daran, daß Leo Brandt als einer der ersten nach dem verlorenen Krieg die wissenschaftlichen Kontakte mit dem Ausland wieder aufnahm – daß es ihm gelang, mit Hilfe seiner großen Zahl von Bekannten und Freunden in anderen Ländern wieder Anschluß an das wissenschaftliche Leben des Auslands zu gewinnen.

Wir erinnern uns an seine Arbeit in der Arbeitsgemeinschaft für Forschung und für die Arbeitsgemeinschaft für Forschung, die er gründen half – und an seine kindliche Freude, mit der er immer wieder auf die mehr als 2000 Veröffentlichungen hinwies, in denen die Ergebnisse ihrer Arbeit seither festgehalten sind.

Wir erinnern uns an die Gründung der Kernforschungsanlage in Jülich, der Deutschen Versuchsanstalt für Luft- und Raumfahrt,

der Gesellschaft für Mathematik und Datenverarbeitung,
der Forschungsgesellschaft für Arbeitsphysiologie und Arbeitsschutz,
des Institutes für Lufthygiene und Silikoseforschung,
der Gesellschaft zur Förderung der Erforschung der Zuckerkrankheit,
der Gesellschaft zur Erforschung der Kinderernährung,
des Deutschen Wollforschungsinstituts,
der Forschungsgesellschaft für Rationalisierung,
der Deutschen Gesellschaft für Ortung und Navigation
und vieler anderer
– die durch seine Initiative entstanden sind.

Und wir erinnern uns an seine spitzbübische Genugtuung, wenn es ihm wieder einmal gelungen war, aus wer weiß welchen Taschen und Titeln Geld herauszuholen für neue Projekte, die seiner unerschöpflichen Phantasie entsprangen.

Wir erinnern uns an einen Mann, dessen charmante Unbequemlichkeit, dessen ungeduldige Ausdauer, dessen mitreißender Ernst uns manchmal erschrecken ließen, die uns aber immer wieder bezauberten.

Leo Brandt hat alle Ämter und Funktionen, die er innerhalb und außerhalb der Landesregierung in den 22 Jahren seiner Zugehörigkeit zum Staatsdienst hatte, mit jener Leidenschaft ausgeübt, von der Max Weber sagte, daß sie zum Wesen des Politischen gehöre. Diese Leidenschaft galt dem wissenschaftlichen Fortschritt zum Wohle der Allgemeinheit. Er, der mit Begeisterung von seiner Zeit im Republikanischen Studentenbund erzählen konnte, der in der deutschen Sozialdemokratie seine politische Heimat hatte und der sich immer zu ihr bekannte, konnte als Staatssekretär unter vier Ministerpräsidenten dienen. Er konnte es, weil er immer bereit war, das Ziel über den Weg, das Verbindende über das Trennende, die Sache über das Persönliche zu stellen. Die ungeteilte Anerkennung, die er – weit über die Grenzen unseres Bundeslandes und der Bundesrepublik hinaus – erhalten hat, ist das schönste Zeugnis dafür.

Leo Brandt hat, wie selten einer, wissenschaftliches Engagement und Können mit politischen und organisatorischen Fähigkeiten vereint. Ein Vulkan an Ideen ist nun erloschen. Ein Motor der Forschungsorganisation steht still. Aber sein Wirken wird noch lange in allem zu spüren sein, was dieses Land für den Fortschritt der Wissenschaften unternimmt.

Die Akademie der Wissenschaften wird des Verstorbenen und seiner Verdienste noch auf einer akademischen Trauerfeier gedenken. Heute können wir dem Anreger, Organisator und Schützer wissenschaftlicher Forschung, unserem Freunde Leo Brandt, nicht tiefer danken, als daß sein Werk, die Rheinisch-Westfälische Akademie der Wissenschaften, ihre wissenschaftliche Arbeit wie immer aufnimmt.

Denn damit ehren wir ihn am höchsten: daß wir weiter ohne Unterbrechung an dem arbeiten, wofür er gelebt hat: für den Fortschritt der Wissenschaft.

Gedenkworte anläßlich der Jahresfeier am 19. Mai 1971

Präsident Professor Dr. phil. Dr. h. c. mult. Karl Ziegler
Mülheim-Ruhr

Vor 14 Monaten, am 6. Mai 1970, hatte ich die große Ehre, an dieser Stelle die ersten Worte zur Eröffnungsfeier der Rheinisch-Westfälischen Akademie der Wissenschaften zu sprechen, die formell bereits seit dem 1. Januar 1970 existierte. Ich empfand es dabei als meine vornehmste Pflicht, der Verdienste des Mannes zu gedenken, der damals schon 20 Jahre lang als unermüdlicher Motor der Forschungsförderung in unserem Lande gewirkt hatte und dessen heiße und zähe Bemühungen in der Gründung der Akademie ihre Krönung gefunden hatten. Wir alle waren damals in der glücklichen Lage, daß das Geschäftsführende Präsidialmitglied der Akademie, Staatssekretär Professor Dr. Leo Brandt, mitten unter uns weilte, so daß ich ihm unmittelbar unseren wärmsten Dank für seine selbstlose und aufopferungsvolle Arbeit im Rahmen der früheren Arbeitsgemeinschaft für Forschung aussprechen konnte. Er hat es sich nicht nehmen lassen, im Rahmen der Feier selbst einen Überblick über die wichtigsten Phasen seiner weitgespannten Förderungstätigkeit für reine und angewandte Forschung zu geben.

Schon damals haben viele von uns gewußt oder geahnt, daß es mit seiner Gesundheit nicht gut bestellt war, aber die meisten von uns glaubten doch an eine vorübergehende Erkrankung mit der Möglichkeit einer endgültigen Heilung. Das war leider eine schwere Täuschung. Er selbst hat sich bis zu seinem letzten Atemzuge seinem geliebten Amt verbunden gefühlt, und es hat mich sehr erschüttert, als das letzte von ihm noch persönlich unterzeichnete Schriftstück erst unmittelbar nach seinem Tode in meinen Besitz kam.

Als eines der ersten Mitglieder der Arbeitsgemeinschaft für Forschung bin ich über viele Jahre hinweg mit dem Verstorbenen immer wieder in Berührung gekommen, und ich habe ihn schätzen- und achtengelernt. Die Ereignisse, die der Gründung der Akademie vorausgingen, haben unser Verhältnis schließlich zu einem nahen, freundschaftlichen werden lassen. So kann ich heute in aufrichtiger Trauer sagen: Ich habe einen guten und treuen Freund verloren.

Der Herr Ministerpräsident Kühn hat anläßlich der diesjährigen Jahresfeier der Akademie am 19. Mai schon erste, warme Worte des Gedenkens für Leo Brandt gefunden, der wenig mehr als drei Wochen vorher, am 26. April, von uns gegangen war. Die Jahresfeier der Akademie zu einer geziemenden Würdigung des Verstorbenen umzugestalten, war bei der Kürze der Zeit nicht möglich. So haben wir uns heute zusammengefunden, um das Bild Leo Brandts noch einmal vor uns erstehen zu lassen und seine großen Leistungen und Verdienste zu würdigen.

Es geschieht dies durch Mitglieder der Akademie, die dem Verstorbenen im Leben besonders nahegestanden haben.

Professor Dr. phil. Walter Weizel, Bonn

Als ich den ehrenvollen Auftrag erhielt, auf dieser Gedenkfeier zu sprechen, war mir klar, daß es völlig unmöglich wäre, einen einigermaßen vollständigen Überblick über die vielverzweigte Tätigkeit von Leo Brandt zu geben. Ich werde mich deshalb auf den Versuch beschränken, ein Bild des Mannes zu zeichnen, der mit dem Wiederaufbau von Wissenschaft und Forschung in unserem Lande unlösbar verbunden ist.

Leo Brandt wurde geboren im November 1908 in Bernburg als Sohn des späteren Postrats Berthold Brandt. Er besuchte Schulen in Stettin, Kiel, Bergedorf, Kreuznach, Hilden und Düsseldorf, wo er 1927 Abitur machte. So war schon seine Jugend recht bewegt, und schon frühzeitig regte sich sein Interesse an den Problemen der Allgemeinheit. Als Obersekundaner trat er 1925 in das Reichsbanner Schwarz-Rot-Gold ein.

Im Herbst 1927 begann er das Studium der Elektrotechnik und Nachrichtentechnik in Aachen. Dort fand er seine Lebensgefährtin, eine der wenigen Studentinnen an der dortigen Hochschule. Nach dem Vorexamen, mit 21 Jahren, heiratete er, zwei Söhne und zwei Töchter vervollständigten das Glück dieser Ehe, die vielleicht eine der ersten Studentenehen war. Im Jahre 1932, mit 24 Jahren also, schloß er seine Studien in Charlottenburg mit dem Diplomexamen ab.

Unvollständig wäre das Bild von Leo Brandts Studienzeit, übersähe man, daß sie für ihn auch eine politische Lehrzeit war. Noch als Schüler lernte er Walter Kolb, den späteren Oberbürgermeister von Frankfurt, kennen, mit dem ihn eine langjährige Freundschaft verband.

Mit Kolb zusammen war Brandt Mitglied des Vorstands des republikanischen Studentenbundes, später dessen Bundesvorsitzender. Eine Ortsgruppe dieses Bundes in Aachen hat er gegründet. Diese Kombination von Politik und Technik ist ein bestimmendes Merkmal für Brandts geistigen Standort. Für ihn ist Politik das Ingenieurfach des menschlichen Zusammenlebens. Erkennen, was gemacht werden soll, prüfen, ob es gemacht werden kann, und wissen, wie es gemacht werden muß, ist für Politiker und Ingenieure die Methode für den Erfolg.

Der Tradition seiner Familie hätte es entsprochen, wenn der junge Ingenieur 1933 als Referendar in den Postdienst eingetreten wäre. Das hatte er auch vor. Für den Bundesvorsitzenden des republikanischen Studentenbundes gab es aber im damaligen deutschen Staatsdienst keinen Platz, ebensowenig wie für seine Frau im Lehrberuf. Vielleicht war dies gut, denn im Postdienst des nationalsozialistischen Staates können wir uns Leo Brandt nur schwer vorstellen. Er geht statt dessen zu Telefunken. Dort findet er das Arbeitsfeld, wo seine besonderen Fähigkeiten, blitzschnelles Erfassen des Nötigen, klares Erkennen des Möglichen und Anfangen ohne Verzug, gebraucht werden. Auch die Firma Telefunken nutzt ihre Chance, sie überträgt Leo Brandt schon nach drei Jahren die Leitung des Empfängerlabors, nach weiteren drei Jahren die Leitung der Geräteentwicklung, und schließlich wird Brandt Chef der gesamten Entwicklung. Die Organisation von Forschung und Entwicklung dieser Firma liegt nun in seiner Hand. Eine Fülle von Methoden und Verfahren werden unter seiner Leitung an verschiedenen Stellen geplant und erforscht, Geräte entwickelt, und alle Einzelbeiträge fügen sich am Ende zu einem wohldurchdachten System der Radartechnik zusammen. Das Ende des Krieges beendet auch diese erfolgreiche Phase im Leben Leo Brandts. Doch seine eigentliche Aufgabe, will mir scheinen, wartet noch auf ihn.

Die Laboratorien für Radartechnik sind wie alle anderen Laboratorien zerstört; Radarforschung und -entwicklung fällt wie die meisten anderen Forschungsgebiete unter die alliierten Verbote. Aber es gibt im Nachkriegsdeutschland genug zu tun. Walter Kolb, damals Düsseldorfs Oberbürgermeister, holt Brandt in den Vorstand der Rheinischen Bahngesellschaft, deren Generaldirektor er bald wird. Der Radaringenieur wird zum Verkehrsfachmann, und die Bahn kommt schnell wieder in Ordnung. Alle wichtigen Linien sind vor der Währungsreform wieder in Betrieb. Bei der Bahngesellschaft lernt Brandt Karl Arnold, damals Oberbürgermeister von Düsseldorf, kennen. Beide Männer, aus verschiedenen politischen Lagern kommend, verbindet schnell ein politischer Leitgedanke zu einer echten Freundschaft. Der technische Fortschritt ist dieses Landes Hoffnung und Schicksal. Als Arnold Ministerpräsident und zugleich Verkehrsminister wird, tritt Brandt in den Dienst des Landes Nordrhein-Westfalen, zuerst als Ministerialdirektor, später Staatssekretär und Vertreter Arnolds in diesem Ministerium. Brücken werden gebaut, Autobahnen und Straßen repariert, der Wiederaufbau des Verkehrswesens kommt in vollen Gang.

Wiederaufbau ist notwendig und gut. Doch während alle noch damit beschäftigt sind, sieht Brandt eine größere Aufgabe in der Zukunft. Mag er nie verwunden haben, selbst aus seiner erfolgreichen Entwicklungsarbeit herausgerissen worden zu sein, mag der traurige Zustand der Forschungsstätten der

Hochschulen seine Hilfsbereitschaft angesprochen haben, mögen ihn die alliierten Verbote von Forschung und Entwicklung erbittert haben, wahrscheinlicher ist, daß sein wissenschaftlich, technisch und politisch geschulter scharfer Verstand ihn hat erkennen lassen, daß der Weg in eine bessere Zukunft über den technisch-wirtschaftlichen Fortschritt führt. Der technische Fortschritt aber ist die Frucht der Erkenntnisse wissenschaftlicher Forschung. Mit Brandt beginnt die Wissenschaftspolitik in unserem Lande. Gewiß, man hatte schon vorher von Wissenschaftspolitik gesprochen. Es bedeutete, daß bestimmte Wissenschaften systematisch gefördert wurden, z. B. weil man sich militärische Vorteile versprach oder weil sie weltanschauliche Ideologien untermauern sollten oder einfach nur weil Wissenschaften und Künste ein Dekor des Staates sind, das sein kulturelles Ansehen in der Welt mehrt, ein Ausfluß mäzenatischer Gesinnung der Mächtigen. So nicht in Brandts Wissenschaftspolitik. Er sieht sie nicht am Rande anderer Gebiete, sie ist für ihn ein zentrales Kernstück der Politik überhaupt, sie wirkt in alle politischen Sektoren, natürlich in die Wirtschaftspolitik und Bildungspolitik, aber auch in Gesundheitspolitik und Verteidigungspolitik, ja sogar in die Außenpolitik, da sie leicht Kontakte zu anderen Ländern vermittelt und freundschaftliche Zusammenarbeit herstellt. Brandt geht ans Werk, systematisch und zielsicher, umfassend. Nichts wird vergessen. Zuerst müssen Informationen beschafft werden, damit ein Überblick gewonnen wird, was zu tun ist. Brandt beauftragt Vertreter der verschiedenen Fachgebiete, darzulegen, welche Forschungsarbeiten in ihren Gebieten vordringlich sind. So entsteht ein Sammelband »Aufgaben deutscher Forschung«, ein Programm gewissermaßen, von dem nicht wenig in den kommenden Jahren verwirklicht wurde. Die »Aufgaben deutscher Forschung« werden von Zeit zu Zeit neu verfaßt, eine Art Handbuch mittelfristiger Forschungsplanung. Das Bemerkenswerte daran ist, daß diese Planung in der Hand der Forscher selbst bleibt, keineswegs von oben her dirigiert wird.

Ein wichtiger Schritt bestand in der Gründung der Arbeitsgemeinschaft für Forschung, dem Vorläufer der heutigen Akademie. Sie war zuerst eine lockere Zusammenkunft von Wissenschaftlern, Industriellen, Politikern und Behördenvertretern, die alle davon überzeugt waren, daß der Forschung und Wissenschaft eine bedeutende Rolle im Wiederaufbau von Wirtschaft und Gesellschaft zukomme. Unter Brandts Führung wurde sie zu einer Plattform für Wissenschaftspolitik. Probleme gab es genug.

Da waren die Forschungs- und Entwicklungsbeschränkungen, unerträgliche Hemmnisse für jede sinnvolle Forschungsarbeit. Sie beiseite zu räumen war natürlich eine Aufgabe der Politiker, und daß dies eines Tages gelingen werde, war die Hoffnung aller. Aber mußte man so lange warten? Warten war niemals Brandts Methode. Vorbereitet sein mußte man für den Tag, wo die Wissenschaft wieder frei arbeiten konnte. Obwohl Brandt selbst bisher nie etwas mit Kernphysik zu tun hatte, erkannte er sofort, welche schwerwiegenden Folgen es haben müßte, wenn der deutschen Forschung die sich stürmisch entwickelnde Kernreaktortechnik für längere Zeit völlig verschlossen wäre. Er verfolgte also den Plan, deutschen Wissenschaftlern die Möglichkeit zu eröffnen, auf diesem Gebiet an holländischen Forschungsstätten zu arbeiten. Die Holländer waren zur freundschaftlichen Zusammenarbeit bereit, leider konnten sich die zuständigen deutschen Stellen nicht schnell genug zu den notwendigen Maßnahmen entschließen. Zum Glück verschwanden bald die Verbote, so daß im eigenen Land über Kernenergie gearbeitet werden konnte.

Zur Forschung braucht man Geld. Forschungspolitik ohne Geld ist wie Faust ohne Mephisto. Um Regierung und Parlament eines verarmten Landes mit zerbrochener Wirtschaft Millionen für Forschungszwecke zu entlocken, bedurfte es überzeugender politischer Argumente.

Wir finden sie unter anderem in einer großen Rede, die Brandt im Sommer 1951 vor dem Landtag von Nordrhein-Westfalen gehalten hat. Mit zahlreichen Einzelbeispielen, statistischen Unterlagen und Diagrammen, Lichtbildern aus Forschungs- und Industrieanlagen belegt und untermauert er sein wissenschaftspolitisches Glaubensbekenntnis. Es heißt dort:

»Die Treppe, die in den modernen nationalen Staaten zum Wohlstand führt, beginnt mit der Grundlagenforschung, führt über die angewandte Forschung zur industriellen Forschung, der industriellen Entwicklung, zur Industrieproduktion, zum Lebenshaltungsindex und zur Volkskraft. Es wäre töricht, nicht einigermaßen gleichmäßig alle Stufen dieser Treppe zu bedenken, insbesondere die Anfangsstufen.«

Die Rede endet mit dem Satz:

»Sicher ist, daß das Zusammenstehen aller auf diesem Gebiet der Forschungen und Entwicklungen, die ihrer Natur nach hinweisen in spätere Jahre, wesentliche Keime zu dem höchsten Ziel legt, welches uns immer vor Augen stehen muß, die Sicherung einer besseren deutschen Zukunft.«

Dies wurde gesagt im Jahre 1951.

Daß es Brandt gelingt, nicht nur vom Parlament des Landes, sondern auch von mannigfachen anderen Quellen Mittel für Wissenschaft und Forschung mobil zu machen, liegt an seiner unerschütterlichen Überzeugung, daß Wissenschaft, Forschung, Entwicklung und Fortschritt den Weg in eine bessere Zukunft öffnen, eine Zukunft, in der »alle besser leben sollen«. Mit dieser

Überzeugung konnte er Zögernde gewinnen, und auch Skeptikern fiel es schwer, sich diesem faszinierenden Optimismus zu entziehen. Forschung ist die Investition, welche die höchste und schnellste Rendite abwirft und das Sozialprodukt am stärksten vermehrt.

Wissenschaft und Forschung haben für Leo Brandt einen ausgesprochen sozialen und humanitären Aspekt. »Alle sollen besser leben«. Dazu gehört unter anderem, den Menschen von allzu schweren und stumpfsinnigen Arbeiten zu entlasten. Rationalisierung und Automation verhelfen dazu und sind deshalb aus seiner Sicht echte und wichtige Forschungsaufgaben. Diese soziale Komponente zeigte besonders deutlich die Ausstellung, die in Düsseldorf auf Brandts Initiative unter dem Motto »Alle sollen besser leben« veranstaltet wurde.

Nun, das Geld begann nicht gerade in Strömen zu fließen, doch immerhin zu tropfen. Erstaunlich, was damit alles geschah. Forschungsvorhaben wurden gefördert, Institute gegründet. Begreiflich, daß den Radaringenieur sofort die fantastische Möglichkeit begeistert, die Radartechnik in den Weltraum hinauszutragen. Als er auf einer Informationsreise in Holland einen aus dem Krieg zurückgebliebenen Würzburg-Riesen in einem Waldgebiet entdeckt, mit dem die Holländer Signale aus dem Weltraum aufnehmen, gewinnen Projekte Gestalt, die jetzt als Radioteleskope auf dem Stockert und bei Effelsberg Wirklichkeit sind. Vom Kriege her mit Problemen der Luftfahrt konfrontiert und inzwischen Verkehrsfachmann geworden, liegt sein Interesse für Luftfahrtforschung auf der Hand, naheliegend auch, daß ein Ingenieur die technische Forschung und Entwicklung durch Naturwissenschaft und Mathematik ergänzen will. Mit sicherem Blick erkennt Brandt frühzeitig die Bedeutung des Kernreaktors und der instrumentellen Mathematik. Bedeutende Zentren sind heute die Frucht früher Anstrengungen um diese Gebiete. Aber auch Medizin gehört dazu, und wahrhaftig gegen ein großes soziales Übel, die Silikose der Bergleute, findet man Hilfe. Auch die Wirtschaftswissenschaften dürfen nicht fehlen, denn bei der umfassenden forschungspolitischen Konzeption, die von abstrakter Mathematik zum Lebensstandard führt, darf keine Lücke beim Wirtschaftsgeschehen bleiben. Brandts Reden und Schriften über die zweite industrielle Revolution sind nicht nur als wissenschaftspolitische Programme zu werten, sondern zugleich sehr beachtliche gesellschaftswissenschaftliche Studien.

Es gilt nicht nur, neue Produktionswege zu erforschen und zu entwickeln, sondern auch die bestehenden durch Rationalisierung und Automation zu vervollkommnen. So betreibt Brandt auch die Bildung einer Arbeitsgemeinschaft für Rationalisierung. Rationalisierung erweist sich nicht nur in der wirtschaftlichen Produktion als wirksam. Ihr Eindringen in die Administra-

tion erscheint als ein wesentlicher Schritt der vielberufenen Verwaltungs-
reform, und man ist versucht zu denken, daß Reformen überhaupt mit Rationalisierung beginnen müssen.

Doch Brandt ist kein Technokrat. Er glaubt zwar, um eine Redeweise der
Mathematiker zu verwenden, daß Naturwissenschaften, Medizin, Technik
und Wirtschaft eine notwendige Basis für das Gedeihen eines Volkes schaffen
müssen, er meint aber nicht, daß dies auch hinreichend sei. Er weiß, daß auch
den Geisteswissenschaften eine wichtige Rolle in der menschlichen Gesellschaft zukommt. So erhält die Arbeitsgemeinschaft bald auch eine Geisteswissenschaftliche Klasse.

Die Forschungsförderung vollzieht sich in vorbildlicher Ordnung, mit
dem Beschaffen von Geld ist bei weitem nicht alles getan. Es wird auch dafür
gesorgt, daß die gegründeten Institute und Gesellschaften eine vernünftige
Rechtsform erhalten, eine Aufgabe, die schwierig ist und die man dem Wissenschaftler selbst nicht aufhalsen kann. Auch ein Publikationsorgan für die
Forschungsergebnisse ist da.

Sollte man nicht denken, daß auf diese Weise eine vom Staat dirigierte
Auftragsforschung entstünde und das Ende der Freiheit der Wissenschaft
in bedrohliche Nähe rücke? Gar nicht. Die Forscher stellen sich ihre Aufgaben selbst, und ob ein Vorhaben gefördert werden soll, bestimmt im wesent-
lichen ein von der Arbeitsgemeinschaft gewählter Ausschuß. Brandt ist ein
eifriger Verfechter der Freiheit der Wissenschaft, diese Freiheit ist ein wich-
tiges Element seiner wissenschaftspolitischen Konzeption. So fordert er in
München die Bildung eines deutschen Forschungsrates, den er sich als eine Art
Parlament der Wissenschaft vorstellt, und dieser Gedanke führte in der Folge
zur Bildung des deutschen Wissenschaftsrates.

Es wäre hoffnungslos, alle wissenschaftspolitischen Aktivitäten Brandts
ins rechte Licht rücken zu wollen, ja auch nur aufzuzählen. Er ist stellver-
tretender Vorsitzender der deutschen Atomkommission und der Kommission
für Weltraumforschung und vieler anderer Forschungseinrichtungen, er stu-
diert in Frankreich, Amerika und England, ja sogar in Chile die Situation
der Forschung dieser Länder, er gewinnt zahlreiche namhafte Wissenschaftler und Wissenschaftspolitiker aus aller Welt zu Vorträgen in der Arbeitsgemeinschaft. So bahnen sich internationaler Austausch und Zusammenarbeit
an, die sich im Laufe der Zeit zu einer guten Tradition entwickeln. Heute
gilt es in der wissenschaftlichen Welt als eine Ehre, in unserer Akademie zu
sprechen.

Auch der wissenschaftliche Nachwuchs wird nicht vergessen. Er soll eine
Chance haben, seine Ausbildung durch Auslandsstudien zu vertiefen. Dazu
wurde die Heinrich-Hertz-Stiftung ins Leben gerufen.

Heute hat die deutsche Wissenschaft auf vielen Gebieten den Rückstand aufgeholt, und es gibt manche Sparte, wo sie mit an der Spitze liegt. Daß Forschung die Impulse gibt, die das Wachstum der Wirtschaft herbeiführen, ist heute Allgemeingut geworden. Daß dieser Zusammenhang geläufige Erkenntnis geworden ist, ist zum großen Teil Leo Brandts frühzeitiger Wissenschaftspolitik und deren sichtbarem Erfolg zu verdanken.

Vor fünf Jahren befiel ihn eine schwere Krankheit, die nicht völlig geheilt werden konnte. Nur durch regelmäßige Bluttransfusionen konnte er sich lebensfähig erhalten und, was für ihn am wichtigsten war, unvermindert arbeitsfähig bis in seine letzten Tage. Noch wenige Tage vor seinem Tode sprach er mit mir am Telefon voll Freude über die großen Kernkraftwerke, die jetzt bei uns gebaut werden, und von dem vor der Vollendung befindlichen Teleskop in Effelsberg.

Er war ein Bahnbrecher für Wissenschaft und Forschung in diesem Land und uns allen ein Freund und Helfer.

Professor Dr.-Ing. Volker Aschoff, Aachen

Leo Brandt, zu dessen ehrendem Gedächtnis wir uns hier zusammengefunden haben, hat vor der Arbeitsgemeinschaft für Forschung zweimal selbst einen Fachvortrag gehalten: 1951 über Navigation und Luftsicherung und 1955 über den Wiederbeginn deutscher Luftfahrtforschung. Das erste Thema behandelte das Arbeitsgebiet, auf dem Brandt selbst bis 1945 aktiv tätig gewesen war, das zweite einen Aufgabenbereich, dessen sich Brandt nach 1945 besonders intensiv angenommen hatte.

Vor allem aber standen beide Themen in engem Zusammenhang mit dem Kontrollratsgesetz Nr. 24, durch das die Siegermächte 1945 in Deutschland jede Forschung und Entwicklung auf bestimmten Gebieten verboten hatten. Zu den verbotenen Disziplinen gehörten unter anderem die angewandte Aerodynamik, die Luftfahrt, moderne Antriebs- und Kraftmaschinen und elektromagnetische und akustische Strahlung, soweit sie zur Ortung und Navigation dienen könnte.

Um die Schwere dieses Verbots erkennen zu können, muß kurz auf die Geschichte der Luftfahrtforschung eingegangen werden. Als an der Wende vom 19. zum 20. Jahrhundert die ersten erfolgreichen Flugversuche unternommen worden waren, sahen sich die großen Industrienationen vor einem technischen Neuland, in dem eine erfolgreiche Weiterentwicklung nur auf der Grundlage systematischer Forschung zu erwarten war. So wurde die beginnende Luftfahrt das erste Beispiel einer zu gemeinsamem Nutzen unternommenen Zusammenarbeit zwischen Staat, Wirtschaft und Wissenschaft.

In Deutschland entstand in diesem Zusammenhang im Jahre 1907 in Göttingen die Modellversuchsanstalt der Motorluftschiffstudiengesellschaft, die unter der Leitung von Ludwig Prandtl zur Wiege der modernen Strömungsforschung wurde und unter ihrem späteren Namen »Aerodynamische Versuchsanstalt« Weltruf erlangte.

Als neben den Luftschiffen die Entwicklung der Flugzeuge immer mehr an Bedeutung gewann, entstand auf Anregung des Vereins Deutscher Motorfahrzeug-Industrieller unter Führung des Reichsamtes des Innern im Jahre 1912 die Deutsche Versuchsanstalt für Luftfahrt in Berlin-Adlershof. Diese neue Institution wurde nicht als Reichsversuchsanstalt, sondern, ebenso wie die Göttinger Anstalt, in der Rechtsform eines eingetragenen Vereins errichtet, um einem echten partnerschaftlichen Verhältnis zwischen Staat, Wirtschaft und Wissenschaft Rechnung zu tragen.

Zwischen den beiden Weltkriegen traten weitere Forschungseinrichtungen hinzu, denn es zeigte sich bald, daß die Lösung der von der Luftfahrt gestellten neuartigen Aufgaben über den eigenen Bereich hinaus zugleich auch tiefgreifende Wirkungen auf den gesamten Bereich der konventionellen Technik hatte. So entstanden das Duraluminium und viele hochwarmfeste Werkstoffe durch die besonderen Anforderungen der Luftfahrt; die dort notwendigen Methoden extremen Leichtbaus wirkten sich befruchtend für viele andere Bereiche des konstruktiven Ingenieurbaus aus; Konrad Zuse erhielt den Auftrag für den Bau der ersten programmgesteuerten Rechenmaschine der Welt von der DVL im Zusammenhang mit theoretischen Problemen des Flügelflatterns.

Diese wenigen Beispiele können nur andeuten, wie schwerwiegend es für eine Industrienation sein mußte, wenn ihr – wie im Deutschland 1945 – jede Forschung und Entwicklung auf einem so zukunftsträchtigen und wegweisenden Gebiet verboten wurde; ein Verbot, das keineswegs allein aus militärischen Gründen erfolgte, sondern durch die Grundgedanken des damals noch verfolgten Morgenthau-Planes mitbestimmt war.

Leo Brandt, in dem sich in so glücklicher Weise die Begeisterungsfähigkeit und Zielstrebigkeit des Ingenieurs mit dem taktischen Geschick und der Zähigkeit des Politikers vereinten, erkannte als einer der ersten die irreparablen Gefahren, die durch dieses Verbot für Deutschland entstehen könnten. Mit seiner nie ermüdenden Tatkraft setzte er sich daher dafür ein, daß trotz aller Zerstörungen, trotz aller Schwierigkeiten einer ersten Wiederaufbauphase, die nur das Lebensnotwendigste in Angriff zu nehmen gestattete, und trotz des Verbots durch die alliierten Kontrollratsgesetze der Erfahrungsschatz der überlebenden Wissenschaftler nicht verlorenging.

Noch vor der ersten Sitzung der Arbeitsgemeinschaft für Forschung im Sommer 1950 hatte Brandt eine Zusammenkunft aller erreichbaren Wissenschaftler aus dem Gebiet der Funkortung und -navigation organisiert. Im Verfolg der hier begonnenen Arbeit entstand der Ausschuß für Funkortung, aus dem 1961 die Deutsche Gesellschaft für Ortung und Navigation hervorging. Bis 1965 war Leo Brandt Vorsitzender dieser Gesellschaft, deren Entwicklung weitgehend durch seine Persönlichkeit geprägt wurde. Schon frühzeitig gelang es ihm, durch eine enge internationale Zusammenarbeit Westdeutschland wenigstens auf wissenschaftlichem Gebiet aus der Isolation der ersten Nachkriegsjahre herauszuführen.

Auf dem Gebiet der Luftfahrtforschung lag das große Verdienst Leo Brandts darin, daß er die stillschweigende Duldung der westlichen Besatzungsmächte für einen ersten bescheidenen Wiederaufbau der Deutschen Versuchsanstalt für Luftfahrt herbeiführte. Es gelang, die Auflösung des Vereins DVL zu verhindern. – In München bemühte sich Dipl.-Ing. Fuchs um die Sammlung der im Kriege nach Süddeutschland verlagerten DVL-Einrichtungen; in Aachen gelang es mit Unterstützung von Leo Brandt, nach und nach sieben ehemalige Institutsleiter der DVL auf Lehrstühle zu berufen und sie dafür zu gewinnen, in Personalunion an einem ersten Neuaufbau von DVL-Instituten mitzuwirken.

Als im Jahre 1954 die DVL ihre erste Hauptversammlung nach dem Zusammenbruch veranstaltete, führte Herr Seewald als Vorsitzender des Aufsichtsausschusses in seiner Eröffnungsansprache aus:

»Es ist nicht möglich, alle Förderer einzeln aufzuzählen, es muß aber doch dem Staatssekretär Professor Brandt vom Ministerium für Wirtschaft und Verkehr des Landes Nordrhein-Westfalen ein besonderer Dank gesagt werden für die tatkräftige Art, mit der er die Forschung schon zu einer Zeit in die Wege geleitet hat, als sonst noch nirgends Hilfe zu erwarten war ...«

Welche Bedeutung Leo Brandt der Forschung im Bereich der Luft- und später auch der Raumfahrt beimaß, mag daraus hervorgehen, daß mehr als 20 der inzwischen nahezu 200 Vortragsveranstaltungen unserer Klasse für Natur-, Ingenieur- und Gesellschaftswissenschaften Themen aus diesem Gebiet behandelten.

Auf der ersten Veranstaltung der Arbeitsgemeinschaft im Juni 1950 erwähnte Herr Seewald in seinem Vortrag über die Entwicklung auf dem Gebiet der Antriebsmaschinen auf ausdrückliche Anregung von Leo Brandt die amerikanischen Bemühungen, die Raketenantriebe so weiterzuentwickeln, daß ein künstlicher Satellit in eine Erdumlaufbahn gebracht und in einem weiteren Schritt die Gravitationszone der Erde verlassen werden könne. Dieser Hinweis fand damals, im Jahre 1950, noch sehr wenig Aufmerksamkeit. – Als aber sieben Jahre später die Russen und die Amerikaner in kurzem zeitlichen Abstand das erste Ziel erreicht hatten, entwickelte sich die Raumfahrt in atemberaubender Schnelligkeit; und auf der Jahresversammlung der Arbeitsgemeinschaft im Jahre 1963 konnte Herr Quick in großer Eindringlichkeit zeigen, welche Bedeutung ein eigener Beitrag Deutschlands zu diesem jüngsten Neuland wissenschaftlich-technischer Entwicklung erlangen mußte.

Brandts Interesse an der Luft- und Raumfahrt beschränkte sich jedoch nicht auf die Förderung der Forschung und der Versuchsanstalten. Er gehörte auch zu den Initiatoren des Wiederaufbaus der Lufthansa. Als langjähriger Vorsitzender des Technischen Ausschusses konnte er einen maßgebenden Einfluß auf die Ausrüstung dieser Fluggesellschaft mit geeignetem Fluggerät nehmen.

Schließlich war er mehrere Jahre Vorsitzender des Vorstands der Wissenschaftlichen Gesellschaft für Luftfahrt, die 1912 auf Anregung der Göttinger Vereinigung zur Förderung der angewandten Physik und Mathematik gegründet worden war. Auf der Jahresversammlung dieser Gesellschaft in Duisburg im Jahre 1954 hielt Leo Brandt den Festvortrag über das Thema: »Die Bedeutung der Luftfahrt für den Wiederaufbau Deutschlands.« In diesem Vortrag formulierte er besonders deutlich, aus welchen Motiven er sich so tatkräftig für diesen Zweig der Forschung einsetzte:

> »Ich möchte heute hier die These aufstellen, die hervorragende Persönlichkeiten der Luftfahrtforschung lange vor dem Kriege und insbesondere in den Jahren nach dem Kriege deutlich vertreten haben: Die Luftfahrttechnik hat einen entscheidenden Platz im Rahmen einer modernen Volkswirtschaft. Nicht nur als ein weiterer Industriezweig, sondern deshalb, weil die Luftfahrtindustrie an die Technik die allerschärfsten und härtesten Anforderungen stellt, ist sie allgemein einer der wichtigsten Schrittmacher der modernen Technik. Ihre Forschungs- und Entwicklungsergebnisse wirken sich in ungeahntem Maße auf weite, oft völlig andersgeartete Industriezweige fördernd aus.«

Dieser Satz gilt sinngemäß auch für die Raumfahrt und für die Ortung und Navigation, ohne die Luft- und Raumfahrt nicht praktiziert werden könnten. Die Wissenschaftler, die auf diesem weiten Feld in Deutschland tätig sein können, danken Leo Brandt dafür, daß er sich so unermüdlich und erfolgreich für den Wiederaufbau und Ausbau dieses Forschungsgebietes eingesetzt hat. Hier, wie in allen anderen Gebieten der Natur- und Ingenieurwissenschaften, die durch Leo Brandt gefördert wurden, wird sein Wirken während der vergangenen 25 Jahre nicht vergessen werden können.

Als Leo Brandt in Aachen studierte, stand noch neben dem Hauptgebäude das im Zweiten Weltkrieg zerstörte Chemische Institut; über seinem Portal war die Inschrift eingemeißelt: »Mens agitat molem«. Wer die Arbeit Leo Brandts als Promoter der Forschungsförderung miterleben durfte, ist geneigt, sein Wirken in freier Übersetzung dieser Inschrift mit den Worten zu umschreiben: »Es ist der Geist, der die Trägheit überwindet«. Allen, die mit Leo Brandt befreundet sein durften, wird er in diesem Sinne Vorbild bleiben.

Professor Dr. rer. nat. Rudolf Schulten, Aachen

Staatssekretär Professor Leo Brandt ist der Begründer der Kernforschungsanlage Jülich. Die Geschichte der KFA ist weitgehend mit seinem Lebens-
weg verbunden. Schon im Jahre 1950 forderte der damalige Ministerialdirektor Brandt die Aufnahme von Forschungsarbeiten auf dem Kernener-
giesektor und schlug vor, zu diesem Zweck, einen Forschungsreaktor zu
errichten. Im Dezember 1955 hielt er den ersten öffentlichen Vortrag über
die zukünftige Bedeutung der Atomenergie für die Wirtschaft der Bundesrepublik. Diese Darlegungen hatten ein weites Echo und führten dazu, daß
der erste Atomminister der Bundesrepublik Deutschland ihn als stellvertre-
tenden Vorsitzenden in die Deutsche Atomkommission berief. Nach der
feierlichen Gründung der Deutschen Atomkommission am 26. Januar 1956
im Palais Schaumburg kündigte Professor Brandt an, daß das Land Nordrhein-Westfalen ein großes Atomforschungszentrum errichten werde. Nachdem Ministerpräsident Fritz Steinhoff die Unterstützung dieses Vorschlages
zugesichert hatte, sagte der damalige Atomminister Strauß ebenfalls seine
Hilfe für dieses Unternehmen zu. Im Dezember 1956 hielt Professor Brandt
einen überzeugenden Vortrag vor dem Landtag des Landes Nordrhein-Westfalen, der daraufhin den Beschluß faßte, ein Atomforschungszentrum zu
gründen. Die Anlage sollte nach den Vorschlägen von Professor Brandt
Forschungsreaktoren und Institute für den lebenswissenschaftlichen und technischen Bereich haben.

In den nachfolgenden Jahren wurde dieses Konzept in Jülich mit wenigen
Änderungen und einigen Erweiterungen realisiert. Gespräche mit Wissenschaftlern und Informationsreisen ins Ausland verschafften Staatssekretär
Brandt die notwendigen Erfahrungen, um diese noch heute gültige Konzeption zu entwerfen.

Mit der Errichtung des Kernforschungszentrums Jülich konnte am 10. Januar 1958, nachdem einige Standortschwierigkeiten überwunden worden
waren, begonnen werden. Seit dieser Zeit war Professor Brandt rastlos tätig,
die KFA aufzubauen und zu unterstützen.

Seit 1961 nahm er als Leiter des Landesamtes für Forschung die Interessen
des Landes in Jülich wahr. In den Jahren 1968 und 1970 war er Aufsichts-

ratvorsitzer der Kernforschungsanlage Jülich; in den anderen Jahren Aufsichtsratmitglied. »Seine KFA« hat er zuletzt am 12. Januar 1971 gesehen, als Professor Leussink seinen ersten Besuch als zuständiger Bundesminister in Jülich machte.

Es gibt wohl kaum einen Menschen, der bereits so frühzeitig und richtig die Bedeutung der Kernenergie und der Kernphysik für die zukünftige Wirtschaft und Technik erkannt hat. Schon in der damaligen Zeit, so erinnere ich mich, als noch viele der Anwendung der Kernenergie zweifelnd gegenüberstanden, war Professor Brandt davon überzeugt, daß sich diese neue Energiequelle als unbedingt notwendig erweisen würde. Damals, wie so häufig in seinem Leben, mußte er sich gegen die Meinung vieler einflußreicher Persönlichkeiten durchsetzen. Der heutige Stand der Kernenergie und der rasch anwachsende Anteil von Atomkraftwerken bei der Neubestellung von Energieanlagen haben ihm recht gegeben.

Die KFA Jülich sollte nach dem Konzept von Professor Brandt eine umfassende Anwendung aller nuklearen Methoden in verschiedenen wissenschaftlichen Bereichen realisieren. Deshalb war diese Konzeption zugleich auf Technik und Naturwissenschaften, aber auch auf die Lebenswissenschaften gerichtet. Es war sein Anliegen, daß neben den technischen Entwicklungen auch die Forschungsarbeiten, die den Menschen und das Leben selbst betreffen, auf den Gebieten der Medizin, Biologie, Zoologie und Landwirtschaft gleichzeitig mitgefördert wurden. Besonders wichtig erschien ihm dabei der Gedanke, daß die Biologen und Mediziner sich mehr und mehr ähnlicher technischer Hilfsmittel bedienen müssen, wie sie in technischen Disziplinen angewendet werden. Eine Zusammenarbeit zwischen Technikern und Lebenswissenschaftlern erschien ihm daher als das Ideal einer zukünftigen koordinierten Forschung, in der das Wissen und die Methoden von einem Bereich in den anderen zur gegenseitigen Befruchtung ausgetauscht werden.

Es lag ihm auch sehr am Herzen, eine fruchtbare Synthese zwischen den Arbeiten an den Hochschulen und denen der KFA zu finden. Die KFA sollte nach seinen Vorstellungen der verlängerte Arm der wissenschaftlichen Möglichkeiten der Hochschulen sein. Da die Wissenschaft auf dem nuklearen Gebiet immer größere und kostspieligere Apparaturen benötigt, sollte die KFA den Hochschulen des Landes NRW in gemeinsamer Arbeit die Anwendung dieser Geräte oder wenigstens eine enge Zusammenarbeit auf diesen Gebieten ermöglichen. Auf diese Art und Weise kam auf vielen Gebieten eine Zusammenarbeit zwischen den Hochschulen des Landes und der KFA zustande, was sich u. a. darin zeigte, daß viele Wissenschaftler der KFA gleichzeitig als Hochschullehrer tätig sind.

Das besondere Interesse von Professor Brandt auf dem nuklearen Gebiet

galt vor allen Dingen der Entwicklung von Kernreaktoren. Schon bei der
Gründung der AVR, die den ersten Hochtemperaturreaktor der Bundesrepublik gebaut hat, hatte er intensiv mitgewirkt. Während der vielen Jahre
des Baues und der Erprobung dieses Reaktors zeigte er ständig Interesse an
dem Fortgang der Arbeiten. In den letzten Jahren hat er sich besonders intensiv für die Begründung des THTR-Projektes eingesetzt und Kontakte zwischen den Wissenschaftlern der Kernforschungsanlage und den interessierten
Industriefirmen geschaffen. Er war unermüdlich tätig, um der Verwirk-
lichung des Projektes näherzukommen.

Die Kernforschungsanlage Jülich und die gemeinsamen Reaktorprojekte
mit der Industrie waren ihm sehr ans Herz gewachsen. Häufig erkundigte er
sich bei allen Beteiligten nach dem Stand der wissenschaftlichen und technischen Entwicklung und nach dem Fortgang des Vertragsablaufs. In vielen
schwierigen Situationen fand er einen Weg, um die Probleme zu lösen. Durch
Mißerfolge ließ er sich nicht entmutigen. Gerade in kritischen Situationen
zeigte sich seine Meisterschaft im Ausharren und in erfolgreicher Aktivität.
Aber sein Interesse galt nicht nur den wissenschaftlichen Arbeiten und Pro-
jekten, es war ihm auch sehr viel an dem Wohl »seiner Wissenschaftler«
gelegen. Jeder hatte Zugang zu ihm und konnte mit ihm diskutieren. Jeder
unterbreitete Vorschlag wurde sorgfältig von ihm überdacht und nach Bera-
tung durch ein Gremium von Wissenschaftlern nach Möglichkeit berücksich-
tigt.

In dieser Stunde ist es uns auch ein Anliegen, an seine Familie und besonders an Frau Brandt zu denken, die durch ihre Selbstlosigkeit und Geduld
sein Wirken für die Wissenschaft und den Fortschritt unterstützte.

Die Geschichte der Atomwissenschaften in Deutschland ist unauslöschlich
mit dem Namen Brandt verbunden. Wir verehren ihn als den Idealisten, der
selbstlos und ohne Vorbehalt sein ganzes Wirken für die Wissenschaft und
den Fortschritt aller Menschen einsetzte. Wir wollen einen seiner Gedanken
weiter forttragen, der sein tiefster Lebensgrundsatz war: der Glaube, daß
trotz aller Zweifel und Krisen die Wissenschaften die Menschheit zu höheren
Lebensformen führen werden.

Die Mitarbeiter der Kernforschungsanlage empfinden den Tod von Staatssekretär Professor Leo Brandt als einen schweren Verlust.

Professor Dr. phil. Hans Erich Stier, Münster

Die Geisteswissenschaftliche Klasse unserer Akademie der Wissenschaften hat mich beauftragt, dem Heimgegangenen als einem ihrer besonderen Wohltäter einige Worte dankbaren Gedenkens zu widmen. Ich kann diesem Auftrag nur dann nachkommen, wenn ich Sie bitten darf, sich mit mir kurz die Situation zu vergegenwärtigen, aus der heraus es zwei Jahre nach der Konstituierung der naturwissenschaftlich-technischen Sparte der Arbeitsgemeinschaft für Forschung in Düsseldorf zur Errichtung einer geisteswissenschaftlichen Abteilung in ihr kam.

Es waren die Jahre, in denen bei uns Kräfte und finanzielle Mittel aufs äußerste angespannt werden mußten, um uns instand zu setzen, aus dem tiefsten Fall wieder emporzusteigen zu einem menschenwürdigen Dasein. Herr Weizel wies darauf hin, daß damals staatliche Mittel gerade auch für Bereiche wie die technisch-naturwissenschaftliche Forschung zumeist nur tröpfchenweise zur Verfügung standen. Wie nahe hätte es gelegen, mit Rücksicht auf diese harte Realität die Einrichtung einer zweiten Abteilung der Arbeitsgemeinschaft für Forschung hinauszuschieben. Nicht wenige Zeitgenossen verwiesen darauf, daß in zahlreichen außerdeutschen Nationen das französisch-englische Wort *science* lediglich die naturwissenschaftlichen Disziplinen bezeichnet; man wäre im üblichen Sinn »modern« geblieben, wenn man diesen Sprachgebrauch nun auch bei uns übernommen hätte. Aber dem nüchternen Blick konnte nicht entgehen, daß noch erhebliches spezifisch geisteswissenschaftliches Traditionsgut aus der großen Zeit deutscher Wissenschaft sich lebendig erhalten konnte. Gerade gegen dieses hatte die nazistische Diktatur einen besonderen Haß empfunden. Man erinnere sich nur dessen, was sie damals aus einer ernst zu nehmenden Geisteswissenschaft von hohem Rang wie der Prähistorie mit Hilfe gefährlicher politischer Phantastereien zu machen suchte. Ähnlich erging es der Geschichtswissenschaft, weiten Teilen der Rechtswissenschaft etc., von Disziplinen wie etwa der Theologie ganz zu schweigen. Es wäre schwerlich angängig gewesen, den Widerstand, der in diesem Bereiche – nicht selten unter Einsatz des eigenen Lebens – geleistet wurde, nach dem Zusammenbruch der Diktatur damit zu lohnen, daß man sich namens der neuen deutschen Demokratie ausgerechnet hier desinteressiert

zeigte. Hinzu kam, daß sich gerade auch aus dem weiten Bereiche der Geisteswissenschaft zahlreiche Stimmen bei Ministerpräsident Karl Arnold melde-
ten, die darauf drängten, mit ihren besonderen Befähigungen beim Kampf
um die Überwindung der mit der materiellen Bedrängnis eng verschwisterten
geistigen Not mit eingesetzt zu werden.

Es kann nicht bezweifelt werden, daß Arnold bereit war, auf die ihm ent-
gegengebrachten Anregungen und Wünsche zu hören. Aber die Entscheidung
darüber, ob es möglich sein würde, unter den obwaltenden Umständen die
Arbeitsgemeinschaft für Forschung um eine weitere, immerhin recht beachtliche Sparte zu vergrößern, konnte nur im Benehmen mit der für die Gründung der Arbeitsgemeinschaft für Forschung hauptverantwortlichen Persönlichkeit, eben mit Leo Brandt, getroffen werden. Es zeichnete sich schon damals die Situation ab, die zehn Jahre später, im Jubiläumsjahr 1960, Ministerpräsident Meyers in seinem Schreiben an Staatssekretär Brandt als den
Geschäftsführer der AGF mit der Feststellung treffend umriß, wenn er erklärte, »daß wir alle uns die AGF ohne Sie – also Brandt – und Ihre Über-
einkunft mit Karl Arnold nur schwer vorstellen können.« Der Naturfor-
scher und Ingenieur Leo Brandt ist es gewesen, dessen Ja den Geisteswissenschaften die Pforte zur Mitarbeit in der AGF geöffnet hat. Das ist es, was
diese Forschungsbereiche zu unauslöschlicher Dankbarkeit ihm gegenüber
verpflichtet.

Man muß hier innehalten und sich der nun unvermeidlichen Frage stellen,
wie es zu begreifen ist, daß es gerade eine prominente Persönlichkeit der
naturwissenschaftlich-technischen Abteilung war, die sich mit dem Einbau
der geisteswissenschaftlichen Disziplin in die AGF solidarisch erklärte und
alles tat, um die aus dieser neuen Verpflichtung erwachsenden finanziellen
Aufwendungen realisieren zu helfen. Leo Brandt hat uns selbst einen Finger-
zeig für die Antwort gegeben, indem er wieder und wieder von seiner auf-
richtigen Begeisterung für Leibniz sprach. Die produktive Universalität
dieses Geistes, der bekanntlich als Philosoph nicht nur der Mathematik neue
Bahnen eröffnen half, sondern auch in historischer Forschung zu Hause war,
der Herrschern und Staatsmännern vom Range Ludwigs XIV. und Peters
d. Gr. Überlegungen zur Verfügung stellte für die richtige Wahrnehmung
ihrer Verantwortung gegenüber dem Geschick der Christenheit, in einer
Sprache, deren Gedankenflug und bald belehrende, bald scharf satirische
Form noch heute den Leser in Erstaunen setzen, grenzt wirklich ans Wunder-
bare. Wie eine solche Geisteshaltung sich in dem grandiosen Plan der Preußi-
schen Akademie der Wissenschaften konkretisierte – dieses Phänomen zog
Brandts beweglichen Geist an, ohne daß er dabei den Unterschied der Zeiten
jemals aus den Augen verloren hätte. Aber er hatte ein Gespür dafür, daß

der, der Großes erreichen will – und das war seine Konzeption einer modernen nordrhein-westfälischen Akademie der Wissenschaften unstreitig –, sein
Vorbild gar nicht hoch genug wählen kann; das Unmögliche muß wollen, wer
das Mögliche erreichen will. Eine merkwürdige Parallele soll in diesem Zusammenhang nicht verschwiegen werden: Leibniz wie sein späterer Verehrer
Leo Brandt hatten ihre Wirksamkeit in Zeiten zu entfalten, die von der Not
geprägt waren – der eine in der Epoche, die mit der bitteren Erbschaft des
30jährigen Krieges belastet war, der andere in unserer Gegenwart mit der
noch schlimmeren Hypothek von Gewaltherrschaft und furchtbarem Sturz.
Leibniz' Ausspruch, nach 1648 sei dem deutschen Menschen von allen seinen
Tugenden nur noch der Fleiß geblieben, paßte genau auch auf den Zustand
des Deutschland von 1945, in dem Leo Brandt seine dauerhaftesten Leistungen zu vollbringen hatte. Seinen besonderen Charakter erhielt dieses Schaffen von der Bereitschaft her, in einer durch und durch spezialisierten Welt
unermüdlich über den eigenen Fachbereich hinauszublicken und fern aller
Selbstüberschätzung möglichst alle zum großen Werk heranzuziehen, die sich
dem Dienst an der Wahrheit und damit dem wirklichen Wohlergehen der
Menschheit verpflichtet fühlten.

Der Erfolg, der unbestechliche Richter über unsere Planungen und Ent-
würfe, hat Leo Brandt recht gegeben. Mehrfach konnte er dankbar auf das
»besonders erfreuliche Zeichen« verweisen, »daß in dem Land der Industrie
an Rhein und Ruhr neben den Forschungsmitteln für Naturwissenschaft und
Technik auch Mittel für die Förderung geisteswissenschaftlicher Arbeiten zur
Verfügung gestellt werden«, ja, »daß unser Landtag für die Aufgaben der
Geisteswissenschaften immer eine besondere Aufgeschlossenheit gezeigt hat«.
Die 1956 unter Ministerpräsident Steinhoff erschienene zweite, wesentlich
erweiterte Auflage des Werkes »Aufgaben deutscher Forschung« konnte
nunmehr durch einen rund 500 Druckseiten starken Band eröffnet werden,
den die Geisteswissenschaften beisteuerten.

In seiner Ansprache auf der ersten Sitzung der neu konstituierten geisteswissenschaftlichen Abteilung der AGF im Jahre 1952 stellte Professor Wer-
ner Richter, damaliger Rektor der Universität Bonn, bedauernd fest: »Es
ist . . . leider so, daß auch heute noch, oder gerade heute wieder, die Küsten-
schiffer ihr Haupt erheben und das ›Geisteswissenschaftliche‹ zu einer Art
Schimpfwort degradieren möchten.« Es scheint, als sei dieser vor bald 20 Jahren gesprochene Satz leider noch immer nicht überholt. Die Geisteswissenschaften benötigen für die Durchführung ihrer Forschungsarbeiten die ideelle
Unterstützung seitens der Naturwissenschaften und der Technik. Sie sind
dankbar für jedes Wort aus diesem Bereich, das den Wert ihrer größtenteils
entsagungsvollen wissenschaftlichen Tätigkeit anerkennt und der interes-

sierten Öffentlichkeit zu Gehör bringt. Leo Brandt hat das in vorbildlicher Weise getan. Deshalb haben wir seiner nicht nur mit der dankerfüllten Pietät gegenüber einem ehedem unter uns wirkenden Freunde zu gedenken; er bleibe uns vielmehr in der ihn auszeichnenden fachlichen wie menschlichen Aufgeschlossenheit der große Wegweiser, dessen wir für unser geistiges Schaffen in der Zukunft nach wie vor bedürfen.